# André Leblanc

# L'envers de la chanson

## Des enfants au travail 1850-1950

Mémoire d'images  |  Les 400 coups

Nous remercions le Conseil des Arts du Canada de l'aide accordée à notre
programme de publication et la SODEC pour son appui financier en vertu
du Programme d'aide aux entreprises du livre et de l'édition spécialisée.

Nous reconnaissons l'aide financière du gouvernement du Canada par l'entremise
du Programme d'aide au développement de l'industrie de l'édition (PADIÉ)
pour nos activités d'édition.

Gouvernement du Québec — Programme de crédits d'impôt pour l'édition
de livres – Gestion SODEC

L'auteur tient à remercier toutes les personnes qui l'ont aidé dans sa documentation,
en particulier Claire Brassard, Éric Giroux et Dominic Morissette.

**L'envers de la chanson**
a été publié sous la direction de Catherine Germain.

Design graphique et mise en couleurs : Andrée Lauzon
Révision : Claudine Vivier
Correction : Anne-Marie Théorêt

**Diffusion au Canada**
Diffusion Dimedia inc.
539, boulevard Lebeau
Saint-Laurent (Québec)
H4N 1S2

**Diffusion en Europe**
Le Seuil

© 2006 André Leblanc et les éditions Les 400 coups
Montréal (Québec) Canada

Dépôt légal – 3e trimestre 2006
Bibliothèque et Archives nationales du Québec
Bibliothèque et Archives Canada

**Données de catalogage avant publication (Canada)**

Leblanc, André, 1940-
L'envers de la chanson : des enfants au travail, 1850–1950 / André Leblanc.

(Mémoire d'images)
Pour les 8-12 ans.

ISBN-10 : 2-89540-306-6
ISBN-13 : 978-2-89540-306-7

1. Enfants – Travail – Canada – Histoire – 19e siècle – Ouvrages illustrés –
Ouvrages pour la jeunesse. 2. Enfants – Travail – Canada – Histoire – 20e siècle –
Ouvrages illustrés – Ouvrages pour la jeunesse. I. Titre. II. Collection.

HD6250.C32L43 2006      j331.3'1'09710222      C2005-906866-3

Loi 49-956 du 16 juillet 1949 sur les publications destinées à la jeunesse.

J'ai appris les chansons de mon enfance sur les genoux
de mes parents et de mes grands-parents. Bien plus tard,
j'ai compris, en découvrant leur enfance laborieuse,
qu'il y avait un envers à la chanson !

A. L.

« Il y a longtemps que je t'aime, jamais je ne t'oublierai... »

Une fois…
… quand mon père a eu 7 ans,
mon grand-père l'a retiré de l'école.
C'était en 1914. La famille était pauvre.
À la ferme, il fallait utiliser tous les bras,
même ceux des tout-petits.

Mon père savait à peine ses chiffres
et ses lettres. Adieu les cahiers d'école !
Il a dû aller aux champs, mener le cheval
au labour, récolter les petits fruits qui
tachent les mains, ramasser les patates
pleines de terre, transporter les choux
ronds et lourds…

« Savez-vous planter les choux,
à la mode, à la mode,
savez-vous planter les choux,
à la mode de chez nous ?… »

5

« J'ai vu le loup, le renard, la belette.
J'ai vu le loup, le renard danser… »

Quand je demandais à mon père
à quel âge il avait commencé
à travailler, invariablement
il répondait :
— À 14 ans.
— Alors, qu'est-ce que tu as fait
entre 7 et 14 ans, puisque tu
n'allais plus à l'école ?
— Euh !… J'étais sur la ferme.
— Et tu faisais quoi à la ferme ?
— Eh ben, j'aidais…

« Do ré mi la perdrix, mi fa sol elle s'envole, fa mi ré dans le pré… »

Aider, c'était tout un verbe d'action ! Un verbe qui en cachait plusieurs autres que mon père ne saurait jamais ni lire ni écrire : semer, planter, sarcler, moissonner, arracher, récolter, cueillir, conduire les bêtes, en prendre soin, les nourrir... C'était ça, aider. C'était travailler ! Travailler dur, sans être payé !

« Il était un petit navire, il était un petit navire
qui n'avait ja-ja-jamais navigué... »

Mon père n'était pas seul dans son cas. Les enfants
étaient si utiles à la ferme que le Canada, jusqu'en
1925, allait même importer des milliers d'orphelins
anglais★. Les nouveaux arrivés, à peine débarqués
des bateaux qui les amenaient d'Europe, étaient
envoyés dans les fermes, surtout celles de l'ouest
du Canada, où on leur apprenait à cultiver la terre.

★ À cette époque, la Grande-Bretagne
tente de réduire la misère de
ses grandes villes en favorisant,
par l'entremise d'organismes
de bienfaisance, le départ et l'exil
de milliers d'enfants abandonnés.
Vers 1900, la seule Fondation
du Dr Barnardo expédie au Canada
28 000 enfants. Pour chacun,
le Canada verse une petite
somme d'argent.

« Avec quoi faut-il chercher l'eau, chère Élise, chère Élise...
avec un seau, mon cher Eugène... »

Dans les campagnes, les enfants exécutaient de nombreuses tâches quotidiennes. Des plus simples aux plus compliquées. Ce n'était pas nouveau : la pratique remontait aux origines de l'agriculture.

Il fallait nourrir toutes les bêtes : les chevaux, les vaches, les veaux, les poules... Les maisons n'avaient pas l'eau courante et il fallait aller la puiser dehors, la porter. Et puis traire les vaches. Ramasser le fumier. Rentrer le bois pour chauffer le poêle.

Les plus petits imitaient les plus grands. Les plus grands prenaient soin des plus petits...

Les enfants exerçaient tous les métiers, par tous les temps.

L'été, il n'était pas rare de rencontrer sur les chemins,
aux abords des petites gares ou le long des voies ferrées,
de jeunes garçons qui vendaient de l'eau.

L'hiver, certains se faisaient embaucher pour couper
la glace sur les rivières gelées. Les mitaines de laine
devenaient raides et cassantes. Les barres de fer, lourdes.
La glace, difficile à percer. À l'époque, le réfrigérateur
n'existait pas. À la place, on stockait de gros blocs de glace
dans des armoires isolées, les glacières.

Puis, à l'approche du printemps, les mêmes allaient prêter
main-forte pour faire sauter l'embâcle qui bloquait la rivière.

Au fil des marées, la pêche faisait lever
les enfants bien avant l'aube et la nuit
les surprenait souvent encore à l'ouvrage.

D'un océan à l'autre, on s'activait. Tirer
sur le rivage le filet et sa prise frétillante
de saumons en Colombie-Britannique.
Pêcher les morues à Terre-Neuve. Les vider,
les laver et les saler. Puis les étaler et les mettre
à sécher sur les quais pendant plusieurs
semaines pour qu'elles se conservent.

Attention ! Il fallait craindre le sel qui fendille
la peau, le froid de l'eau qui engourdit
les gestes. Se méfier des planches glissantes
du quai, de l'hameçon qui traîne,
de la brouette surchargée…

« Partons, la mer est belle. Embarquons-nous pêcheurs… »

Le travail sous terre était encore plus éprouvant. Mon grand-père nous en menaçait souvent, pour rire : « Si vous n'êtes pas sages, p'tits sacripants, j'vous envoie aux mines ! »

Déjà, au début du 19ᵉ siècle, on faisait descendre des garçons de 8 à 14 ans dans les galeries des mines.
Ils conduisaient les poneys aveugles qui tiraient les wagonnets. Ils actionnaient les portes de ventilation. Ils aidaient les hommes à extraire et à charger le charbon. Et au fond du puits, toujours au rendez-vous, l'obscurité, les rats, la peur.

Les accidents n'étaient pas rares.
Par exemple, en février 1891 à la mine Springhill en Nouvelle-Écosse, plus de 125 hommes et enfants périrent dans un coup de grisou.

« Mineur, qui descends dès l'aube sous terre, et dont les jours sont des nuits… »

19

On racontait aussi que, dans les mines de cuivre
de Bolton au Québec, les filles n'étaient pas
épargnées. Avec les garçons, elles exécutaient
les tâches de surface. En particulier dans
les hangars de triage, elles séparaient
le minerai de la roche.

Dix heures de travail par jour pour des enfants
qui, parfois, avaient à peine plus d'une
douzaine d'années.

« Belle qui tiens ma vie captive dans
tes yeux, qui m'a l'âme ravie… »

Quand ma grand-mère maternelle
a eu 8 ans, sa famille a émigré à
Lowell, une petite ville industrielle
des États-Unis, au nord du
Massachusetts. C'était en 1887★.

Toute la journée, elle aidait sa mère,
qui faisait le ménage, les repas et
la lessive chez les gens fortunés.
Elle n'est jamais allée à l'école.
Elle n'a jamais appris à lire ni à écrire.

★ Ces années-là, un million
de Canadiens français quittent
le Québec vers la Nouvelle-
Angleterre dans l'espoir
d'améliorer leur sort.

« J'aime la galette, savez-vous comment ?
Quand elle est bien faite, avec
du beurre dedans... »

Puis, à 11 ans, à l'exemple de ses frères et sœurs,
ma grand-mère est allée s'engager à la filature de coton★.

« Dans ce temps-là, on travaillait 13 heures par
jour, disait-elle. À 4 h 30 du matin, la cloche de
la manufacture sonnait et à 5 h, on était à l'ouvrage.
Quand tous les métiers se mettaient en marche,
le bruit enflait, épeurant comme l'enfer.
À la longue, on s'habituait, on devenait comme sourd.
La poussière du coton nous enveloppait. La chaleur
des machines était insupportable, même en hiver. »

★ Les enfants les plus
petits doivent grimper
sur le cadre des machines
pour rattacher les fils
cassés et remplacer
les bobines vides.

« Déjà le coq a chanté, amis, il faut se lever,
debout, debout les amis, le jour a chassé la nuit… »

En 1913, au Canada, la semaine de travail dans les filatures fut fixée à seulement 55 heures parce qu'on embauchait beaucoup d'enfants et que les conditions de travail y étaient « pénibles et déprimantes ». Pourtant, dans de nombreux secteurs d'activité, les enfants continuaient de travailler jusqu'à 72 heures par semaine.

« Quand les contremaîtres avaient barré les portes, racontait ma grand-mère, on n'arrêtait plus. Souvent, on était obligé de manger pendant que les machines tournaient. Le danger était toujours présent. Un peu de fatigue ou la tête ailleurs, et on pouvait se blesser. J'en ai vu qui ont perdu un doigt, d'autres un bras, des fois mêmes, la vie. C'était pas bien drôle ! »

Mais, en quelques rares occasions, le temps d'une photo, les enfants avaient un petit répit... et le soleil entrait soudain par la fenêtre.

« File la laine, file les jours. Garde mes peines, et mes amours... »

★ Les métiers changent. En 1910, presseur de disques dans l'industrie musicale, en voilà une nouveauté ! L'empesage des faux cols et manchettes de chemises est aussi très en vogue. Ces deux métiers n'existent plus.

Des enfants, il y en avait partout, embauchés comme apprentis, pour toutes sortes de travaux. Dans les fabriques de cigares, les ateliers de confection de vêtements, les blanchisseries, les cordonneries et les magasins. Dans les boulangeries ou les allumetteries, et même dans les abattoirs★. À 12 ans, les garçons pouvaient déjà travailler; les filles, à 14. Mais très souvent, les enfants n'avaient pas l'âge requis : les inspecteurs du gouvernement fermaient les yeux.

« Alouette, gentille alouette, alouette je te plumerai... »

Jusqu'en 1920, le salaire de la majorité des ouvriers ne permettait pas vraiment de subvenir aux besoins essentiels d'une famille. Par nécessité, les enfants devaient donc travailler. Leur salaire était deux fois moins élevé que celui d'une femme et quatre fois inférieur à celui d'un homme. Un enfant gagnait en moyenne 4 dollars par semaine, soit 6 sous de l'heure.

« Faut dire qu'on se faisait pas poser souvent !
Y venaient encore moins nous tirer le portrait
à l'ouvrage ! » C'est ainsi que ma grand-mère
parlait des photographes. En effet, il était assez
rare à l'époque de montrer des enfants à la peine.

Quand un photographe s'aventurait sur un lieu
de travail, il se contentait, le plus souvent, de
rassembler tout le monde. Puis, d'une grosse voix,
il lançait : « Attention ! Ne bougez plus, le p'tit
oiseau* va sortir ! » Le résultat donnait l'image
d'une sorte de famille avec des enfants sages
entourés d'adultes. Des poses figées, rigides ;
des regards sérieux, fiers.

« Mon petit oiseau a pris sa volée, a pris sa… à la volette… »

* Pour capter le regard
des personnes photographiées,
le photographe prétendait
qu'un petit oiseau allait sortir
de son objectif.

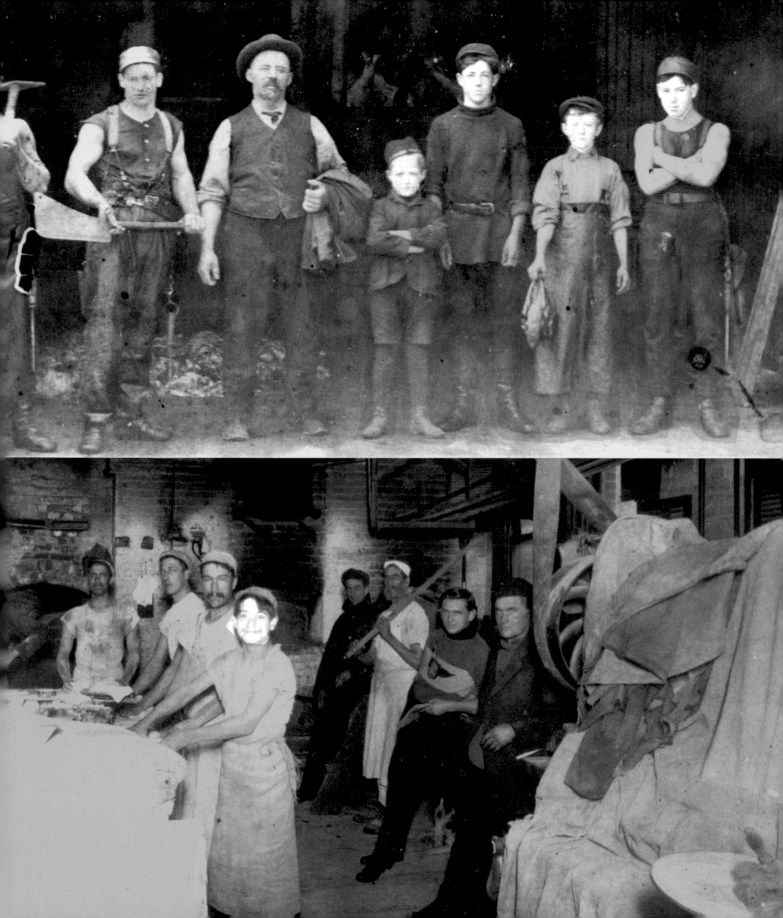

★ Une amende équivaut
à deux heures de travail.

Il est une chose, par contre, que ne captait jamais la photographie :
la sévérité des règlements sur certains lieux de travail.

Un ouvrier entendu par la Commission royale d'enquête sur
les relations entre le capital et le travail, tenue à Montréal
durant les années 1880, témoignait ainsi des conditions
déplorables qui sévissaient dans son entreprise :
« Si un enfant fait quelque chose, par exemple, s'il a regardé
de côté et d'autre ou s'il a parlé, le contremaître lui dit :
"Je vais te faire payer 10 sous d'amende★"; et s'il répète
la même chose deux ou trois fois, eh bien ! le contremaître
prend un bâton ou une planche et il le bat avec. »

« Nous n'irons plus au bois, les lauriers sont coupés... »

D'autres enfants travaillaient directement pour leur famille. Quand, mes sœurs et moi, nous nous plaignions de l'école, Grand-mère nous parlait du travail des petites ramasseuses de charbon. En effet, il n'était pas rare, entre 1900 et 1930, de voir de très jeunes enfants, surtout des filles, ramasser le charbon tombé des wagons et rapporter ainsi le combustible nécessaire au chauffage du logis et à la préparation des repas. Quand il y avait du surplus, elles allaient le vendre dans le quartier.

« J'ai descendu dans mon jardin pour y cueillir le romarin… »

« Il court, il court, le furet, le furet du bois joli.
Il a passé par ici, il repassera par là… »

Avec l'industrialisation, le monde s'est mis à changer,
mais le travail des enfants n'a pas disparu pour autant.
Il fallait bien survivre et certains se prenaient même
à rêver d'un monde meilleur.

Dès le début des années 1900, dans les rues des grandes
villes, on pouvait voir de jeunes messagers vêtus aux couleurs
des compagnies de télégraphe foncer à bicyclette pour livrer
les télégrammes. Ah ! quelle invention ! Il était maintenant
possible de transmettre sur de grandes distances, par
l'intermédiaire de fils électriques, des messages codés.

Tôt le matin et jusqu'à tard le soir, on entendait retentir
dans les rues les cris des jeunes livreurs de journaux.
L'âge des communications commençait, même si on était
encore bien loin de la télévision et d'Internet.

En fait, l'histoire ne s'achève pas là !

Le travail des enfants a été aboli dans les pays « riches » d'Amérique du Nord et d'Europe, mais ailleurs, c'est une autre affaire.

Aujourd'hui, des filles et des garçons, très jeunes, travaillent au polissage des pierres précieuses, par exemple, d'autres cassent des cailloux, portent des briques, ramassent des ordures, emballent des allumettes, tissent des tapis... Il y a près de 300 millions d'enfants qui travaillent dans le monde, les trois quarts dans des conditions difficiles et souvent dangereuses.

Quant aux autres... comme toi, ils ont « la chance d'aller à l'école ». C'est ce que mon père et ma grand-mère me répétaient souvent ! Instruire les enfants, c'est leur donner la possibilité de devenir des hommes et des femmes plus libres.

« Prom'nons-nous dans les bois, pendant que le loup n'y est pas. Si le loup y était, il nous mangerait... »

# crédits photographiques

ANQ    Archives nationales du Québec

APO    Archives publiques de l'Ontario

BAC    Bibliothèque et Archives Canada

ÉFM    Écomusée du fier monde

MMC    Musée McCord

MSTC    Musée des sciences et de la technologie du Canada

NARA    US National Archives and Records Administration

NSM    Nova Scotia Museum

SHSH    Société historique de Saint-Henri

OIT    Organisation internationale du travail

Photos de couverture : Anonyme, Petite fille avec un sac de charbon dans sa poussette, Toronto (Ont.), vers 1900, Coll. Kelso, BAC / PA-118224 ; Lewis W. Hine, Enfants montés sur les machines, Bibb Mill No. 1, Macon, Géorgie (USA), 1909. NARA / ARC 523148 (détail)

Intérieur de couverture : François Fleury, Récolte des patates, Saint-Lambert (rive sud de Québec), 1943, ANQ / E6.S7.P16121

Page 3 : Donat-C. Noiseux, Criblage du grain, Québec, 1942, ANQ / E6.S7.P9833 (détail)

Pages 4 et 5 : Anonyme, Enfants ramassant des pommes de terre, Île-du-Prince-Édouard, vers 1921, BAC / PA-043964

Pages 6 et 7 : Reuben Sallows, Moissonneurs traversant un champ, Ontario, 1906, APO / C 223-4-0-0-14

Pages 8 et 9 : E.L. Désilets, Arrachage du lin, Caplan, Gaspésie (Qc), 1948, ANQ / E6.S7.P67073

Pages 10 et 11 : Anonyme, Garçon labourant la terre (ferme industrielle du D<sup>r</sup> Barnardo), Russell (Manitoba), vers 1900, BAC / PA-117285

Pages 12 et 13 : Anonyme, Quelques enfants de la famille Raymond revenant de la traite des vaches, Henryville (Qc), 1928, coll. privée ; Ken H. Hand, Garçon donnant à manger à un veau, Loon Lake (Saskatchewan), 1951, MSTC / CN 001745

Pages 14 et 15 : Anonyme, Vendeur d'eau, Val-Jalbert (Qc), vers 1925, MSTC / CN 000683 ; Charles H. Millar, Embâcle sur le canal en face du moulin (ou coupe de la glace), Drummondville (Qc), vers 1895, MMC / MP-1974.133.11

Pages 16 et 17 : Dorothy Bowles, Séchage de la morue sur le quai, Gaultors (Terre-Neuve), 1935, NSM / F94.46.57 ; Anonyme, Saumons dans une senne traînante, rivière Nimpkish (Colombie-Britannique), vers 1930, BAC / PA-205827

Pages 18 et 19 : Anonyme, Jeunes garçons travaillant dans les mines, coll. Mackenzie King, 1915, BAC / C-046320

Pages 20 et 21 : Anonyme, Mineur de 14 ans (charbonnage), Manitoba, vers 1912, *in* Rapport Billiarde Neglected Children, BAC / C-030945 ; William Notman, Séparation du minerai de la roche, mine de cuivre de la Huntington Copper Mining Co., Bolton (Qc), 1867, MMC / N-0000.94.58

Pages 22 et 23 : Att. à James ou May Ballantyne, Jeune fille dans une cuisine, au 54 Main Street, Ottawa (Ont.), 1907, BAC / PA-133676

Pages 24 et 25 : Lewis W. Hine, Jeune fileuse à la filature de coton de Lancaster, Caroline du Sud (USA), 1908, NARA / ARC-523122 (détail) ; Lewis W. Hine, Enfants montés sur les machines, Bibb Mill No. 1, Macon, Géorgie (USA), 1909, NARA / ARC-523148 (détail)

Pages 26 et 27 : Anonyme, Enfants des filatures, Montréal (?) (Qc), n.d., ÉFM / 2003.335

Pages 28 et 29 : Anonyme, Intérieur de la Berliner Gramophone Company, Montréal (Qc), 1910, MMC / MP-1982,69.1 ; N. M. Hinshelwood, Femmes empesant des cols et des poignets, M.T.S., Montréal (?) (Qc), vers 1901, MMC / MP-1985.31.181

Pages 30 et 31 : Anonyme, Groupe de travailleurs des abattoirs Lecavalier et Riel, Saint-Henri (Qc), vers 1890, SHSH / #142-ph-42(D) ; Anonyme, Boulangerie Pain Suprême, rue Brewster, Saint-Henri (Qc), 1915, SHSH / #74-ph-1

Pages 32 et 33 : Anonyme, Allumetterie. Les filles à l'emballage, Saint-Casimir-de-Portneuf (Qc), 1910, ANQ / P711.PSE-495.2 ; Anonyme, Imprimerie. Journal *L'Action Catholique*, Sainte-Anne (Qc), 1908-1910, ANQ / P428.S3.D2P1

Pages 34 et 35 : Anonyme, Jeunes filles faisant la collecte du charbon, Toronto (Ont.), vers 1900, Coll. Kelso, BAC / PA-181961

Pages 36 et 37 : Anonyme, Service de messagerie. Bureau de la G.N.W. Telegraph Co., Montréal (Qc), 1900, BAC / PA-117883 ; Anonyme, Crieur de journaux, Montréal (Qc), vers 1905, MMC / MP-0000.586.112

Pages 38 et 39 : J.M. Derrien, Jeunes porteurs de briques, Madagascar, n.d., OIT / c0041 ; A. Khemka, Industrie de polissage de pierres précieuses, Jaipur (Inde), 2000, OIT, c1552

Page 40 : Richard S. Cassels, Porteur d'eau, Cacouna (Qc), 1898, BAC / PA-123289